KB199713

# 관계대명사,관계부사의 모든것

이재원 지음

관계대명사,관계부사의 모든것

발 행 | 2024년 10월 02 일
저 자 | 이재원
펴낸이 | 한건희
펴낸곳 | 주식회사 부크크
출판사등록 | 2014.07.15.(제2014-16호)
주 소 | 서울특별시 금천구 가산디지털1로 119 SK트윈타워 A동 305호
전 화 | 1670-8316
이메일 | info@bookk.co.kr

ISBN | 979-11-419-5862-6

www.bookk.co.kr

# 관계대명사,관계부사의 모든것

이재원 지음

# 목차

# 관계대명사 개념편

제한적용법과 비제한적용법(계속적용법)의 개념

1.제한적용법

제한적 용법의 해석(~한,~인 형용사로 해석)

제한적 용법은 선행사의 뜻을 제한(한정)시키는 용법이야,즉 선행사의 의미범위가 한정되어 있어, 전체가 그렇다는 것이 아니라 전체의 일부가 그렇다는 뜻이지

I met an ex girlfriend who(m) I dated for 3 years.

3년만난 전여친 한명 만났어

->만났던 전여친(전체)중에서 3년만난사람(일부)을

만났어

->모든 전 여친을 3년만났다는 말이 아니라, 3년 만났던 전 여자친구중 한명(일부)을 만났다는 의미이지,즉, 3년만난 전여친이 한사람일 수도 있고 여러명일 수도 있고 알 수 없어.

I fought with a friend who(m) I have known for 3 years.

3년지기 친구랑 싸웠어

->만났던 친구들(전체)중에서 3년만난친구(일부)와 싸웠어

->모든 친구를 3년 알고지냈다는 말이 아니라, 3년 만났던 한명(일부)이랑 싸웠다는 의미이지,즉, 3년지기가 한명일 수도 있고, 여러명일 수도 있고 알 수 없어.

2.비제한적용법(계속적용법)

계속적 용법의 해석

계속적용법은 선행사의 의미범위를 제한(한정)해서 일부를 뜻하는게 아니라 선행사 전체를 뜻해,선행사 모두가 그렇다는 것을 말하는거야

다시 정리하자면 계속적용법은 단순히 추가정보를 제공하기 때문에(부사절처럼쓰이기 때문에),의미가 제한(한정)되지 않고 전체가 그렇다는 뜻이야. 이 관계사절은 부사절(추가정보)이기 때문에 관계사절을 생략할 수 있어.

<선행사가 물건일때>

주격 (그건)

목적격 (그걸)

<선행사가 사람일때>

주격 (그 사람이,그 사람은,걔가,걔는)

목적격 (그 사람을,걔를)

I met an ex girlfriend, who(m) I dated for 3 years.

전 여친 한명 만났어, 걔 3년 만났었어.

->전 여친 한명 만났는데 그 사람과 3년사귀었어
->전 여친 한명과 3년 사귀었다는 게 사실이야, 나한테 3년사귄사람이 걔한사람일 수도 있고 여러명일 수도 있어, 정확한 비교대상이 안나오면 알 수없어

I fought with a friend, who(m) I have known for 3 years.

친구랑 싸웠어,걔랑 3년지기야

->친구 한명과 싸웠는데 그 사람과 3년지기야

->친구 한명과 3년 사귀었다는게 사실이야, 나한테 3년 지기 친구가 한사람일 수도 있고 여러명일 수도 있어, 정확한 비교대상이 안나오면 알 수없어

***살펴보면, 일반적으로 선행사로 부정관사 a,an,some 등을 사용할 때는 제한적용법이나 비제한적용법에서의 큰 의미 차이는 없어~

요약하면 관계사의 역할은

1.관계사절 안에서는 대명사,부사역할을 한다
2.관계사절 밖에서는 접속사역할을 한다
3.관계사절 밖에서는 관계대명사 혹은 관계부사 이하의 문장을 만들어서 선행사를 수식해준다

선행사의 역할은?

=선행사는 관계대명사 혹은 관계부사가 이끄는 문장으로 부터 수식을 받는다

자, 이제 관계대명사,관계부사가 어떤 역할을 하는지 감이 왔을것이야.

그럼 본격적으로 개념설명에 들어가보자.

관계대명사 개념

관계대명사(who,which,that,whom)

접속사(관계)와 대명사 역할을 동시에 하면서 이 관계대명사가 앞의 명사(선행사)를 꾸며주는 문장을 이끄는 역할(형용사절)을 해.

정리하자면,

1.관계사절 안에서 대명사,부사 역할

2.관계사절 밖에서 문장과 문장을 연결하는 접속사 역할

3.형용사문장을 이끌어 선행사를 수식해주는 역할

즉,

1.접속사역할

2.대명사 역할

3.형용사문장을 이끄는 역할

# 관계대명사 문제풀이편

관계대명사를 만드는 방법은 ‘접속사+대명사’를 한 단어로 만드는 것이야, 여기서 접속사는 and로 고정하도록 할게.

관계=접속사 and

대명사=앞 문장의 선행사를 대신받는 명사

관계대명사를 이해하기 위해서는 먼저 관계의 역할과 대명사의 역할 2 가지를 이해할 필요가 있어.

첫번째, 관계라는 뜻은 접속사역할을 한다는 의미를 뜻해(두 개의 문장을 하나로 합친다는 의미야)
두번째, 대명사로서의 역할은 관계대명사가 이끄는 형용사문장(형용사절)안에서의 역할을 뜻하는것인데, 관계대명사 자체가 문장 안에서 주어,목적어,소유격(소유형용사) 등으로 쓰인다는 것을 뜻해, 이를 이해하기 위해서는 먼저 "격"이라는 개념을 알아야 해.

격이란? 격이란 자리를 말해주는거야, 주어자리,목적어자리,소유격자리...

다시말하면 접속사와 결합하여 관계대명사로 바뀐자리(결합한 자리)를 말해주는거야.

그냥 쉽게 주어관계대명사,목적어관계대명사라고 명명했으면 이해하기 쉬웠을텐데..

**관계대명사 문장만들기**

1.문장이 2개있을 것

2.반복되는 단어 찾기(선행사와 대명사 찾기)

3.문장과 문장사이에 접속사 and를 넣는다

4.and + 주어,목적어,소유격 중 택1하여 관계대명사로 바꾼다

선행사가 사람이고 대명사가 주어일 때
-> who,that

선행사가 물건이고 대명사가 주어일 때
-> which,that

선행사가 사람이고,대명사가 목적어일 때
-> who,whom,that

선행사가 물건이고,대명사가 목적어일 때
-> which,that

선행사가 사람 또는 물건이고 대신받는 것이 소유격일 때
->whose

선행사가 사람 and 동물 이고 대명사가 주어 혹은 목적어일 때
-> that

선행사가 동물 and 사람 이고 대명사가 주어 혹은 목적어일 때
-> that

5.목적격관계대명사는 문장앞으로 이동한다

,주격/소유격관계대명사는이미 문두에 있으므로 이동할 필요없음

6.선행사를 수식한다

## 1-주격관계대명사를 포함한 문장만들기

주격관계대명사란 관계대명사가 위치한 자리가 문장 내에서 주어자리라는 말이야.주어의 경우 결합이전의 자리와 결합이후의 자리가 동일해, 따라서 주격관계대명사 다음에는 동사가 나와

긴형용사만들기

1.문장 2개 있을 것

The car is expensive. It is from Germany.

2.반복되는 명사 찾기

The car is expensive. It is from Germany.

3.문장과 문장사이에 접속사 and 넣기

The car is expensive and it is from Germany.

4-1.and + 주어를 관계대명사로 바꾸기

The car is expensive "and it->which" is from Germany.

4-2.The car is expensive [ which is from Germany ].
->긴형용사만들기 완성

5.관계대명사가 이끄는 문장을 선행사 뒤로 보내기 (선행사 수식)

The car [ which is from Germany ] is expensive.

## 2- 목적격관계대명사를 포함한 문장만들기

2-1.(연습1)

목적격관계대명사란 관계대명사가 위치한 자리가 문장내에서 목적어자리라는 말이야,목적격관계대명사는 결합이전의자리와 결합이후의 자리가 달라(결합이후 문장 맨 앞으로 나갔기 때문) 따라서 목적격관계대명사 뒤에는 주어 동사가 나와

긴형용사만들기

1. 문장 2개 있을 것

I have the car. You lost it.문장 2개 있을 것

2. 반복되는 명사 찾기

I have the car. You lost it.

3. 문장과 문장사이에 접속사 and 넣기

I have the car **and** you lost it.

4.and + 목적어를 관계대명사로 바꾸기

I have the car **and** you lost **it**.

I have the car you lost **which**.

I have the car **which** you lost (   ).

I have the car [ **which you lost** ].
->긴형용사만들기 완성

6. 관계대명사가 포함된 문장 완성.

I have the car [ which(that) you lost ].
Q.여기서 질문!
선생님 주격관계대명사는 위치이동이 없는데 왜 목

적격관계대명사가 이끄는 문장의 경우 which가 문장 맨 앞으로 나갔나요?

A.주격관계대명사는 이미 주어자리에 있어서 선행사와 붙어있는 경우가 많아서 옮기는 경우가 거의 없지~ 또한 소유격관계대명사 또한 소유격+명사 자체가 주어나 목적어로 쓰이는데 주어일 경우에는 같은 이유로 옮기는 경우가 거의 없어~

다만, 선행사 뒤에 수식어구가 있을경우에는 선행사 바로 뒤로 보내주어야 하겠지~
그래서 주격관계대명사,'소유격관계대명사+명사가 주어로 쓰일때'에는 이미 문장 맨 앞에 있기 때문에 옮길 필요가 없는것이지, 반대로 목적격관계대명사, '소유격관계대명사+명사가 목적어로 쓰일때'에는 위치이동이 있는거야~

## 2-목적격관계대명사를 포함한 문장만들기

2-2.(연습2)

긴형용사만들기

1. 문장 2개 있을 것
The car is a Ferrari. You scratched it.

2. 반복되는 명사 찾기
**The car** is a Ferrari. You scratched **it**.

3. 문장과 문장사이에 접속사 and 넣기
The car is a Ferrari **and** You scratched it.

4. and + 목적어를 관계대명사로 바꾸기

The car is a Ferrari and you scratched it

->The car is a Ferrari you scratched **which**
->The car is a Ferrari **which** you scratched.

5. 관계대명사가 포함된 문장 완성.

The car is a Ferrari [ which you scratched].

->긴형용사만들기 완성

7.선행사 뒤로 보내기
The car [ which you scratched ] is a Ferrari.

## 3- 소유격관계대명사를 포함한 문장만들기

3-1.(소유격관계대명사+명사가 주어로 쓰일때)

소유격관계대명사란 관계대명사가 위치한 자리가 문장내에서 소유격자리라는 말이야,소유격관계대명사 다음에는 소유격의 수식을 받는 명사가 나와

긴형용사만들기

1.문장 2개 있을 것

The car is expensive. Its seats are from Germany.

2.반복되는 명사 찾기

**The car** is expensive. **Its** seats are from Germany.

3.문장과 문장사이에 접속사 and 넣기

The car is expensive **and** its seats are from

Germany.

4-1.and + 소유격(형용사)을 관계대명사로 바꾸기

The car is expensive "and its->whose" seats are from Germany.

4-2.The car is expensive [ whose seats are from Germany].

->긴형용사만들기 완성

5.관계대명사가 이끄는 문장을 선행사 뒤로 보내기 (선행사 수식)

The car [ whose seats are from Germany ] is expensive.

## 3- 소유격관계대명사를 포함한 문장만들기

3-2.(소유격관계대명사+명사가 목적어로 쓰일 때)

긴형용사만들기

1.문장 2개 있을 것
I met a girl. You met her father a few days earlier.

2.반복되는 명사 찾기
I met **a girl**. You met **her** father a few days earlier.

3.문장과 문장사이에 접속사 and 넣기
I met a girl **and** you met her father a few days earlier.

4-1.and + 소유격(형용사)을 관계대명사로 바꾸기
I met a girl you met "**and her->whose**" father a few days earlier.

4-2.

->긴형용사만들기 완성

5.관계대명사가 이끄는 문장을 선행사 뒤로 보내기 (선행사 수식)

I met a girl [whose father you met  a few days earlier].

# 관계부사 개념&문제편

관계부사 개념

관계 대명사는

접속사 + 대명사(혹은 명사) 이듯

관계 부사는

접속사 + 부사 야

엄밀히 말하면 관계부사의 부사는 대부사를 말하는 것이야(pro-adverb), 관계대명사가 접속사와 대명사가 합쳐져서 만들어 지듯, 관계부사는 접속사와 대부사를 합쳐서 만들어지는 것인데, 부사가 더욱 익숙하기 때문에 관계부사라 부르는것일 뿐이지, 원리는 같아 그렇다면 전치사+관계대명사를 모두 관계부사로 바꿀수있을까?

정답은 그렇지 않다! 이 파트는 뒤에 관계부사로 전환이 불가능한 경우파트에서 다루도록 할게

관계부사 유형

관계부사 유형1.접속사+부사

=접속사+부사
=관계부사

관계부사 유형2.접속사+전치사+명사

=접속사+전치사+명사
->접속사와 명사가 관계대명사로 바뀜
=전치사+관계대명사
=관계부사

관계부사에 쓰이는 전치사는 장소(in,on,at),시간

(in,on,at),이유(for),방법(in)이 있어.

관계부사의 부사는 1.장소(where) 2.시간(when) 3. 이유(why) 4.방법(how 또는 the way)이 있어

앞의 선행사(선행부사)를 받는 대부사에는 아래와 같아.

1. 장소 there(아무장소나 가능) 거기에서

2. 시간 then(아무날짜/시간/계절 가능) 그 때에

3. 이유 therefore 그 이유로 , 그런 이유로

4. 방법 thereby 그  방법으로, 그 방식으로

우선 장소부터 보자

접속사는 and로 고정시켜두고

## 유형1.접속사+부사 형태 (바로 관계부사로 가는 형태-대부사를 이용)

### <Where>-대부사 there 이용

I went to the library this morning + I saw Bill talking with Jane at the library.

->I went to the library this morning **and+at the library** I saw Bill talking with Jane.

->I went to the library this morning **and+there** I saw Bill talking with Jane.

->I went to the library this morning **where** I saw Bill talking with Jane.

### <When>-대부사 then 이용

Friday evening is the time + My family likes to go for a walk.

->Friday evening is the time **and+then** my family likes to go for a walk.

->Friday evening is the time **when** my family likes to go for a walk.

**유형2.접속사+전치사+명사 형태(관계대명사를 만든 후 관계부사로 가는 형태)**

I went to the library this morning + I saw Bill talking with Jane at the library.

->I went to the library this morning **and+at the library** I saw Bill talking with Jane.

->I went to the library this morning **at which**

I saw Bill talking with Jane.

->I went to the library this morning **where** I saw Bill talking with Jane.

나머지 when,why,how 도 같은 방식으로 진행돼

시간의 경우를 보자
and + then = when
and + at the time
=and + at the time
=at which
=when

이유의 경우를 보자

and + for the reason
=and + for the reason
=for which
=why
방법을 보자

and + in the way
=and + in the way
=in which
=how 또는 the way

# 관계부사로 전환이 불가능한 경우

모든 전치사+관계대명사를 관계부사로 바꿀수있는 것은 아니다

그 이유는 원리를 보면 간단해

전명구(전치사+명사)는 형용사,부사 2 가지 형태가 존재하는데, 여기서

전명구가 부사로 쓰일때는 대부사 역할을 해서 관계부사가 될 수 있는데 , 숙어로 사용되었을때는 관계부사로 전환이 불가해

전명구가 부사의 형태가 아닌, 숙어나 관용구의 일부로 쓰일때

:이 또한 부사가 아니기 때문에 대부사 역할도 할 수 없어 관계부사가 될 수 없어

ex1) She is the girl in whom I am interested.

ex2) He is the guy with whom I fought.

ex3) He is the man with whom I work.

ex4) She is the woman with whom I love.

ex5) Giffen goods are special types of products for which the traditional law of demand does not apply.(22, 6월 학평지문)

1~5 모두 관계부사로 바꿀수 없지. 그 이유는 숙어 be interested in,apply for 처럼 동사구 자체에 전치사가 포함된 경우나, 숙어는 아니지만 fight with,work with와 같이 전치사를 함께 사용해야 할 경우에는 관계부사로 바꿀 수 없기 때문이지

정리하자면, 전명구가 부사로쓰일땐 대부사로 바꿀수있고 이 대부사가 관계부사로 바뀔수있는데, 숙어의 일부로 사용되었을때는 당연히 대부사로 못바꾸니까 관계부사로도 못바꾼다는 말이야

## 관계부사 형태 요약

1.where
=at which/in which/on which

2.when
=at which/in which/on which

3.why
=for which

4.how
=in which
=the way

# 번외편

## 번외편1.To부정사 형용사적 용법에서의 전치사 판별해보자

판별 방법:선행사를 문장 맨 뒤에 넣어본다

의자가 있다.

->의자 자체를 앉는게 아니고(sit the chair X) 의자 표면 위에 앉는 것이야. 의자 표면 위에 앉는거니까 on을 넣어주어야 해

살 집이 있다.

->집 자체를 사는게 아니라 집에 살거나 집안에 사는거니까 at이나 in을 넣어주어야 해.

쓸 펜이 있다

->펜 자체를 쓰는게 아니고(write a pen X) 펜을 가지고 쓰는거니까 전치사 with를 넣어주어야 해.

1. I have a chair to sit on.
2. I have a house to live in.
3.I have a pen to write with.

관계부사 문제에서의 전치사 판별

관계부사문제에서도 마찬가지야. 관계부사 문제에서는 전치사와 관계대명사가 함께 나오는데 이때 전치사가 필요한지 여부 또한 to부정사의 형용사적 용법 판별법과 동일해. 전치사 뒤로 선행사를 넣어보면 되지.

선행사를 문장 맨 뒤에 넣어보고, 해석이 자연스러우면 관계대명사이고, 말이 안되고 전치사를 넣어야 해석이 자연스럽게 되면, 전치사가 필요하다는 의미이므로 전치사를 가지고 있는 관계부사가 되는거야.

1.I don't live in a city ______ too many people live.

2.This is the park ______ I met Wendy for the first time.

3.He went to the mall ______ Mr. Brown designed.

4.She used to work at the mall ______ I bought this fan.

5.Let's go to the beach ______ you and I had a lot of fun last year.

결론:관계부사문제에서 전치사가 필요한지 검토

:to부정사 형용사적용법에서 전치사 검토와 동일

## 번외편2.주격관계대명사도 생략될 수 있다

주격관계대명사 뒤에 주어 *동사 형태의 주절이 나오는 경우, 주격관계대명사는 원래 목적절에서 종속절 밖으로 이동한 경우이므로 목적격관계대명사처럼 취급을 해주어 생략할 수 있어.

*패턴1.believe,think 등 that절을 목적어로 취할 수 있는 동사
think/agree/believe/decide/discover/explain/feel/find out/forget/hear/hope/know/learn/notice/promise/read/remember/say/tell/understand

*패턴2.It + be + 형용사 +that절(명사절)
certain/true/amazing/clear/good/important/interesting/likely/lucky/nice/obvious/possible/strange/surprsing/well known/unknown/wonderful

대부분의 강사님들은 I think, I believe 형태를 삽입구문,삽입절이라고 칭하는데 이는 틀린설명이야. 주절이라고 표현 하는것이 옳지.

## 번외편3.유사관계대명사(의사관계대명사)as,but,than 알아보자

이 구문은 원래는 접속사인데 관계대명사처럼 쓰여서 유사관계대명사 혹은 의사관계대명사라고 부르는 것 뿐이야.

상관접속사처럼 함께쓰이는 구문인데 관계대명사 역할까지 한다고 생각하면 돼.

*as:원래는 who,whom,which,that을 써야하는데 앞의 the same,such,as 등 때문에 as를 써준 것.

*but:that~not

*than:원래는 who,whom,which,that을 써야하는데 앞의 비교급때문에 than을 써준 것.

## 번외편4.ing형태라고 모두가 주격관계대명사+be가 생략된건 아니다

우리는 주격관계대명사 + be동사는 함께 생략(삭제) 된다는 것은 익히 알고있어, 하지만 주격관계대명사 +be동사 뿐 아니라 일반동사도 현재분사형태(ing형태)로 변환이 가능하다는 것은 잘 알지 못하고 있는 것 같아.

예문을 살펴보자.

ex) The road **connecting** the two towns is very narrow.
(which connects the two towns) is very narrow.

ex) I have a large bedroom **overlooking** the garden.
(which overlooks the garden)

ex) Can you think of the name of a flower **beginning** with "t"?
(which begins with "t")

ex) English has an alphabet **consisting** of 26 letters.
(that consists of 26 letters)

ex) Anyone **wanting** to come with us is welcome.
(who wants~)

살펴보았지? 이 문장들이 어딜봐서 현재진행형을 축약한 형태로 보여?

일반적인 행동이나 습관을 나타내는 현재형을 축약한 형태야.

쌤! 그럼 왜 내신에서는 목적격관계대명사,주격관계대명사+be동사만 생략될 수 있다고 하는 거에요?

주격관계대명사+be동사만 생략될 수 있다고 해야지 문제를 출제할 수 있기 때문이지. 안그러면 출제할 범위가 없어~ 하지만 수능,모의고사 독해지문에서는 매일 볼 수 있는 구문이니 꼭 잊지말기를~

## 번외편5.관계대명사의 계속적용법은 회화에서 어떻게 표현할까?

비제한적용법(계속적용법)의 경우 글을 쓸때는 컴마(,)를 통해서 표시를 해주잖아. 그렇다면 회화에서는 어떻게 표현을 할까 궁금한 사람이 있었을 거야.

비제한적용법의 경우 이야기할때는 잠시 쉬고 이야기함으로써 표현을 해줘.

## 번외편6.선행사는 관계사에서만 나오는 개념이 아니다.

선행사라는 개념은 우리가 흔히 관계사절의 수식을 받는 명사라고 이해하기 쉽게 설명하지만, 엄밀히 말해서 선행사는 대명사 혹은 대부사 앞에서 처음 소개된 품사(명사만 받는것도 아님)라는 뜻이지, 관계사(관계대명사,관계부사)에서만 등장하는 개념이 아니야.

선행사는 명사,형용사,부사 등의 형태가 나올 수 있지.

한정적(제한적)용법의 경우에는 주로 명사가 나오지만 계속적용법의 경우에는 형용사,부사 등이 나올 수도 있다는 말이야.

## 번외편7.의문사와 관계사는 같은 단어?

명사절을 만들때(의문사를 사용할때)
1.접속사+대명사 앞에 선행사 없으면 의문대명사
2.접속사+부사 앞에 선행사 없으면 의문부사

1.접속사+대명사 앞에 선행사 있으면 관계대명사
2.접속사+부사 앞에 선행사 있으면 관계부사

의문사에는
1.의문대명사 what,which,who
2.의문형용사 whose
3.의문부사 when,where,why,how가 있잖아.

그런데 자세히 살펴보면 이 의문사들은 명사절접속사로서 접속사의 역할뿐 아니라 주어진 문장내에서 주어,목적어,보어역할을 하고 있어.

여기서 살펴볼점은 이 의문대명사가 문장과 문장을 이어주는 접속사 역할 뿐 아니라 명사절 내에서 주어나 목적어 보어 역할을 한다면 관계대명사와 같은 기능을 한다고 볼 수 있다는 거지. 다만, 앞에 꾸며주는 명사가 없어서 명사절로 끝나는 것이야.(의문형용사도 마찬가지야. 명사와 함께쓰여 접속사역할+명사절내에서 대명사역할을 하고 있어.) 의문부사도 마찬가지야. 접속사역할 뿐 아니라 명사절 내에서 부사역할을 한다면 관계부사와 같은역할을 하는것이지.

응 맞아. 결국은 의문사와 관계사는 같은 단어야. 역할만 다른역할을 할 뿐이지. 말하는 사람이 의문사 앞의 선행사에 맞게 관계대명사(의문대명사,소유격의 경우 의문형용사)를 쓸지 관계부사(의문부사)를 쓸지 선택만 하면 되는것이야.^^

## 번외편8.의문사의 역할에 대해 알아보자

의문사는 6개의 W로 시작하는 단어와 1개의 H로 시작하는 단어가 존재해.
(6W1H;Who,Which,What,Why,Where,When+How)

의문사는 2가지 역할을 한다는게 중요해!

**첫째, 직접의문문,감탄문 등을 만들때 의문대명사,의문부사,의문형용사로 사용하지**
-문장 1개,독립절(주절)1개

직접의문문은 많이 보았을 테니, 감탄문 예문만 보여주도록 할게

감탄문예문
Jenny is very beautiful.
->Jenny is how beautiful.
->How beautiful Jenny is!

Jenny is a very beautiful girl.
->Jenny is what a beautiful girl.

->What a beautiful girl Jenny is!

**둘째, 의문사구,의문사절(간접의문문),관계사절 등을 만들때 명사절접속사 또는 형용사절접속사로 사용된다는 점이야**

-문장 두개를 연결함(중문을 복문으로 만듬)

**정리**

**1.의문사의 첫번째 역할:의문문만들기**
-직접의문문
-감탄문

**2.의문사의 두번째 역할:접속사로 사용**
-명사절(=간접의문문)
-형용사절(=관계사절)
-부사절(=관계사절의 비제한적용법,한국식영문법에서는 계속적용법이라함)

# 관계사 개념 총정리편

<u>관계대명사1탄(격이란 무엇일까?)</u>

격이란 무엇일까?

격이란 자리를 나타낸다.

우리나라말은 격조사를 통해 격을 표현한다.

주어를 나타내는 격조사는 '은/는/이/가' 가 있다.
목적어를 나태내는 격조사는 '을/를/에게' 가 있다.
한국어는 조사를 붙여서 격(자리)을 표현하지만 영어는 붙이는 단어가 따로 없고 따로 단어가 존재한다.

주격 대명사 ex) He,She,It
목적격 대명사 ex) him,her,it
소유격 대명사(소유형용사) ex) his,her,its
대부사 ex) there,then,therefore,thereby

여기에 **접속사**만 추가한 것이 관계대명사,관계부사이다.

주어를 대신받은 대명사 = 주격**관계**대명사
목적어를 대신받은 대명사 = 목적격**관계**대명사
소유격을 대신받은 대명사 = 소유격**관계**대명사
부사를 대신받은 대부사 = **관계**부사

<관계대명사>
주격관계대명사 who
->주격대명사 he + **접속사** ->who

주격관계대명사 which
->주격대명사 it + **접속사** ->which

목적격관계대명사 whom
->목적격대명사 him + **접속사** ->who(m)

목적격관계대명사 which
->목적격대명사 it + **접속사** ->which

소유격관계대명사 whose
->소유형용사 his/its + **접속사** -> whose

<관계부사>

접속사 + 부사 there->where

접속사 + 부사 then->when

접속사 + 부사 therefore->why

접속사 + 부사 thereby->how

## 관계대명사2탄(관계대명사도 대명사다)

우리는 대명사를 자주 사용한다.
I met a boy. He is a student.
->주격대명사 He

I met a girl. She is a student.
->주격대명사 She

관계대명사도 마찬가지이다 앞의 단어를 대신 받는 대명사인데, 단지 접속사역할만 추가적으로 가지고 있는 것 뿐이다. 따라서 문장을 연결해주기에 문장을 하나로(*중문->복문) 만들어준다.

I met a boy who is a student.
I met a girl who is a student.

중문:단문 and 단문 처럼 단문 2개가 등위접속사로 연결된 문장 형태
복문:주절+종속절 or 종속절+주절 형태로 연결된 하나의 문장형태

예를들어

I read a novel yesterday 라는 문장에서 관계대명사 문장으로 변환시키면 아래와 같은 문장이 된다.

I read **which** yesterday.
이 상태로 두면 그냥 대명사만 완성된 것이다.

우리는 '**관계**' 대명사를 만들려고 하는 것이므로 접속사역할을 할 수 있도록 접속사자리로 보내야한다.

->wh 이동
a novel [**which** I read yesterday].

이 문장은 다음과 같은 두 문장의 결합이라고 할 수 있다.
There is a novel.
+I read it yesterday.

이 문장은 어떨까?

a novel I read it yesterday.

관계사절만 따로 놓고 보면
I read it yesterday.

얼핏보면 맞는문장처럼 보이지만
이는 마치 I read it it yesterday라고 쓴 문장과 동일한 문장이다.

it이 which라는 대명사로 바뀌어서 **접속사자리**(문장 맨 앞으로)로 나간것이기 때문이다. 따라서 목적어 자리가 비어있어야 한다.

여기서 잠깐!
관계대명사 뒤의 문장은 불완전하다고 하는데, 발상을 전환하여 관계대명사를 포함하여 문장이 완전하다고 하면 안될까?

문제풀이요령을 위해 암기하기 전에 이해를 먼저 해보자~

a novel [which I read yesterday]
관계대명사절을 풀어쓰면

I /read /which /yesterday.
나는 /읽었다/ 그 소설을/ 어제

3형식의 완벽한 문장이다.

*문장이 완전하다/불완전하다는 말은 형식에 맞게 문장이 잘 쓰여졌는지를 말하는 것임.

우리는 지금까지 문제풀이 요령을 위해 관계대명사 뒤에는 불완전한 문장이 관계부사 뒤에는 완전한 문장이라고 단순히 암기만 했었다. 이제는 이해하고 접근해보자~

## 관계대명사3탄(관계대명사의 역할)

1.관계사절 내부에서의 역할:주어,목적어,소유격을 대신 받는 대명사 역할을 한다.

2.관계사절 외부에서의 역할:중문을(두문장을) 복문으로(주절+종속절) 만드는 역할을 한다.

주격관계대명사
:주어를(주어자리에서 선행사를 대신받은 대명사) 대신 받은 대명사

목적격관계대명사
:목적어를(목적어자리에서 선행사를 대신받은) 대신 받은 대명사

소유격관계대명사
:소유격을(소유격자리에서 선행사를 대신받은) 대신 받은 대명사

관계부사
:부사를(부사자리에서 선행사를 대신받은) 대신받은 대부사

**관계대명사문장 ‘안’에서의 역할**

=주어,목적어,형용사 중 하나의 역할을 함.

=주어로 쓰이면 주격관계대명사 , 목적어로 쓰이면 목적격관계대명사, 형용사로 쓰이면 소유격관계대명사

**관계대명사문장 ‘밖’에서의 역할**

1.접속사역할

(문장과 문장을 연결시켜줌)

2.긴 형용사를 이끄는 역할

(형용사의 시작을 알리는 표지판을 나타냄('여기서부터 형용사입니다'),관계대명사가 포함된 문장을 이끌어 선행사를 수식해줌)

**관계부사문장'안'에서의 역할**

=부사로 쓰임

**관계부사문장 ‘밖’에서의 역할**

1.접속사역할

(문장과 문장을 연결시켜줌)

2.긴 형용사를 이끄는 역할

-관계부사가 포함된 문장을 이끌어 선행사를 수식해줌